EL ESPAÑOL EN EL MUNDO

MUNDO

Pablo Moreno

SCHINKEN VERLAG

Inhaber: Julius Robert Wolff
Sokelantstraße 23, 30165 Hannover
Kontakt: info@schinken-verlag.de

2. Auflage
ISBN: 978-3968910178

PRESENTACIÓN 7

HABÍA UNA VEZ EN TEXCOCO 11

PERÚ Y SU MACHU PICCHU 15

ESPAÑA, ¡Y OLÉ! 20

VENEZUELA EN CRISIS 25

GUINEA ECUATORIAL Y SU ESPAÑOL 30

CUBA Y SU MALECÓN 35

ARGENTINA Y SUS TANGOS 41

COLOMBIA Y SU POLLERA 45

PUERTO RICO Y LOS GRINGOS 50

CHILE Y SU CAPITAL HUMANO 55

ECUADOR Y SU FOLKLORE 59

BOLIVIA Y SUS LLAMAS 64

REPÚBLICA DOMINICANA Y SU TURISMO 70

GUATEMALA Y SU VOLCÁN 74

EL SALVADOR Y SU ENCLAVE ARQUEOLÓGICO 78

HONDURAS Y SU IDENTIDAD 83

NICARAGUA Y SU BANDERA 87

COSTA RICA Y LA TICA 91

LA CHICA PANAMEÑA 95

PARAGUAY Y SU FOLKLORE 99

URUGUAY Y PUNTA DEL ESTE 103

FILIPINAS Y LA CHEF 108

MIAMI Y EL DAME DOS 112

TEXAS Y EL ESPANGLISH 117

PRESENTACIÓN

La lengua que llamamos castellano o español ha llegado a ser la tercera con más hablantes en todo el planeta después de chino mandarín e hindi. El inglés, por otro lado, no tiene tantos hablantes nativos, ya que sólo se utiliza como segunda lengua.

Asimismo, es la lengua oficial de muchos estados soberanos, aunque en algunos países se comparte el idioma oficial con otras lenguas de carácter regional. Además, el español se utiliza con frecuencia en muchos otros países que no son de habla hispana como Filipinas y Estados Unidos, entre otros.

Con la conquista de América por parte de los españoles se instaló este idioma como lengua principal en la mayor parte de América.

El país con la mayor población de habla española es México, seguido por otros países como Colombia, Argentina y Venezuela.

Considerando el rápido crecimiento del número de hablantes nativos, puede ser que en 2050 el español sea el idioma predominante dominado por un alto porcentaje de la población mundial, lo que despierta interés por aprenderlo.

En este contexto, el libro *El español en el mundo* se ha elaborado de manera amena y sencilla, con palabras y composición de oraciones de fácil entendimiento, de tal forma que al estudiante de español le sea fácil su comprensión y traducción.

En el caso de los modismos, que son utilizados de manera muy específica en cada país, se procede a definir su significado con el fin de que el lector, que está aprendiendo español, pueda entender con facilidad el contenido.

Para lograr los objetivos se elaboró una lista de 24 países donde se habla el español. El escritor indagó acerca de la vida diaria de sus habitantes, su cultura en diferentes épocas, lugares y demás acontecimientos relevantes para finalmente desarrollar estas historias.

Los países seleccionados fueron los siguientes: México, Perú, España, Venezuela, Guinea Ecuatorial, Cuba, Argentina, Colombia, Puerto Rico, Chile, Ecuador, Bolivia, República Dominicana, Guatemala, El Salvador, Honduras, Nicaragua, Costa Rica, Panamá, Paraguay y Uruguay.

También se incluyó a otros países que, aunque no tienen al español como su lengua oficial, es un idioma hablado por un número importante de los habitantes del lugar, como ocurre en Filipinas.

Este libro tiene como objetivo enriquecer el conocimiento del lector sobre la cultura de algunos países de habla hispana, además de ayudarle a mejorar sus habilidades de comprensión al leer en español.

HABÍA UNA VEZ EN TEXCOCO

José es un mexicano de 20 años de edad, amante de Texcoco, la ciudad en la que nació. Esta ciudad se localiza en la región oriental de México a tan solo 28 kilómetros de la ciudad capital. Texcoco está ubicada en una cuenca que lleva su mismo nombre: Valle de Texcoco, lugar en el que se cruzan diversos riachuelos.

José está acostumbrado a vivir en un lugar a 2.250 metros sobre el nivel del mar y conoce muy bien la zona, en la que siempre hace frío. Suele hacer excursiones al Tetzcotzinco y al monte Tláloc, recorriendo así prácticamente todo el territorio cuya superficie supera ligeramente los 400 kilómetros cuadrados, disfrutando del paisaje cubierto de coníferas como el encino o el oyamel.

José ama el ambiente de este lugar, en donde predominan las lluvias, pero le entristece ver cómo el ser humano lo destruye, acabando con sus hermosos árboles, muchos de los cuales ya están en extinción.

Todas las mañanas, este joven se levanta y camina por el pueblo, se distrae con la venta de diversas artesanías en barro, observa con detenimiento los establecimientos que cuentan con muy buena oferta gastronómica mexicana y contempla los árboles de nogal, pirul, manzano, sauce, fresno, tejocote, capulín, chabacano, olivo e higo, que proliferan debido al clima templado y a la altura del municipio.

Cuando recorre su pueblo no se cansa de ver el estilo colonial existente en la zona con sus doce templos, y cuando llega al centro de la ciudad, mira la catedral de la Inmaculada Concepción, la cual data del siglo XVII, a donde acostumbra a ir a rezar. Esta catedral de la diócesis de Texcoco fue construida por los frailes franciscanos, quienes instalaron allí la primera escuela para indígenas en América, de la que actualmente solo queda una pequeña capilla.

De igual manera, el interés de José por la época precolombina lo ha motivado a visitar los domingos todas aquellas zonas arqueológicas de la región, en las que puede admirar lo que queda de las hermosas construcciones antiguas como los restos del palacio y la ciudad prehispánica de Acolhuacan en el cerrito de "Los Melones". Sin embargo, a José le entristece el estado de abandono en el que se encuentran estás áreas.

Al llegar a la comunidad de San Simón, en donde trabaja como floricultor, José revisa los diversos tipos de flores, entre ellos los claveles, las rosas, las violetas, los alcatraces, las gladiolas, los agapandos, las nubes, las margaritas, las buganvilias, las margaritas, los nardos y las azucenas, y se deleita con el color, olor y belleza de todas. Cuando mira a lo lejos también se maravilla con las diversas siembras de maizales, trigo y cebada, junto a otros cultivos como frijol, legumbres, alfalfa y lo más característico de la zona: los nopales y magueyes.

José, además de todo esto, disfruta al contemplar la fauna del lugar, donde abundan las lechuzas, gavilanes, zopilotes, ardillas, ratas de campo, conejos, tuzas, tejones, cacomixtles, lobillos y lobos grises a los que ha ido conociendo con el pasar del tiempo.

José quiere que todos los habitantes de este planeta entiendan que hay que conservar las regiones y cuidar el medio ambiente, ya que esto contribuye al descanso, al logro, al disfrute y a la prolongación del futuro para todo ser humano.

PERÚ Y SU MACHU PICCHU

Rosalba siempre quiso conocer Machu Picchu, en lengua quechua también le llaman *Llaqta*. Esta ciudad en ruinas se ubica en la cordillera oriental del sur de Perú, a 75 kilómetros de la ciudad de Cuzco.

Ella soñaba con ver esa ciudad incaica, situada dentro de una cadena montañosa y construida en la parte superior de una gran montaña a 2.430 metros de altitud.

En sus mejores tiempos, Machu Picchu estaba rodeada de terrazas, canales de agua y hermosos templos.

Rosalba era una chica de clase media a baja, así que no contaba con mucho dinero para gastar en viajes. Por tal motivo, tomó la decisión de combinar el recorrido a pie y otro tramo en tren. Esta sigue siendo la ruta elegida por quienes viajan con bajo presupuesto.

Rosalba tuvo que recorrer Cuzco, cruzó dos poblados hasta llegar a Aguas Calientes. Pasó dos días para aclimatarse en Cuzco, ya que no quería experimentar el famoso e indeseado "mal de altura". Posteriormente, tomó su mochila y se fue quedando maravillada al conocer esta ciudad colonial, llena de historia, que con el pasar del tiempo ha conservado sus tradiciones, su gastronomía y su diversidad arqueológica.

Y tratándose de un sueño por cumplir con un escaso presupuesto, Rosalba no tuvo ningún problema en subsistir con sus pocos recursos, ya que en cada esquina de la ciudad era posible adquirir deliciosos platos típicos y jugos provenientes de insumos naturales a precios razonables. Además, tuvo mucha suerte, pues los albergues, en su mayoría, eran atendidos por habitantes locales quienes se caracterizaban por su calidez con el huésped y los bajos precios.

Pasados los dos días, la joven viajó a un pueblo llamado Santa María. Tomó el bus de las 7:00 de la mañana, partiendo desde la terminal de transporte público de Cuzco, con destino a la ciudad de Quillabamba, por un costo de 19 soles, equivalentes a 6,5 USD.

En el camino se presentaron derrumbes, lo que preocupó mucho a la chica, ya que ella debía estar antes de las 4:00 de la tarde en el primer puesto de control. Rosalba, que es una creyente católica, como muchos de los habitantes del cono sur, agradeció a Dios al llegar a tiempo a su primer destino, para después tomar su conexión hacia Santa Teresa, en donde debería registrarse con su documento de identidad.

Y fue allí donde comenzó su caminata, siguiendo el trayecto del tren y llegando a Aguas Calientes. Tardó alrededor de 3 horas y media, disfrutó del paisaje cada segundo, admirando las inmensas montañas con vegetación exuberante y tropical.

Al llegar se encontró con una zona netamente turística, llena de cafeterías y restaurantes, algunos más lujosos que otros. Caminando entre calles angostas y siguiendo los pasos de los habitantes locales, descubrió junto a una iglesia del poblado, un restaurante que aún ofrecía el menú del día por tan solo 5 soles, lo que equivale a 1,5 USD. ¡Qué suerte la de esta chica!

Al día siguiente, se corría el rumor en el poblado de que se agotaban las entradas para visitar Machu Picchu. Afortunadamente Rosalba sí pudo adquirir la suya ¡y vaya sorpresa que se llevó! Pues el precio para peruanos, ecuatorianos, colombianos y bolivianos tenía una tarifa preferencial.

De allí Rosalba subió empinados caminos durante dos horas, pero valió la pena. Al llegar a la cúspide se dejó cautivar por la magnificencia de este espectáculo. "¡Como Machu Picchu no existe otra aldea!" —

comentaba.

Rosalba regresó feliz, porque había conocido a este *Patrimonio Cultural y Natural de la Humanidad,* su asombrosa arquitectura que comprende unas 140 estructuras en toda la ciudadela. Para ella siempre fue un misterio pensar como hicieron los incas para construir este mágico e impresionante lugar.

ESPAÑA, ¡Y OLÉ!

Hoy vamos a conocer la historia de Ana María, una bella española originaria de Andalucía y bailaora de flamenco, género musical español autóctono de esta región. Para ser más precisos en la zona de Extremadura y la Región de Murcia. Este baile surge de una mezcolanza cultural de influencia árabe, judía y de los gitanos que inmigraron a España en el siglo XV.

Ana María aprendió de sus padres desde que era muy pequeña a cantar y bailar al ritmo de esta manifestación artística universal. Ellos, con la singularidad que los caracterizaba, la fueron iniciando en este arte hasta que desarrolló la habilidad y destreza necesarias aunadas al amor por lo que hacía.

Ella trabajaba en un establecimiento en donde había un tablao, allí solía demostrar sus dotes bailando flamenco, a la vez solía improvisar y crear mientras bailaba. A sus admiradores y al público en general les encantaba verla expresarse en su baile, apreciaban el don que ella tenía de improvisación como resultado de muchos años de estudio y dedicación.

Desde pequeña, sus padres la hacían practicar junto con ellos y le enseñaban a descifrar *el código y el lenguaje* del baile flamenco, factor muy importante para el éxito de éste. El canto de Ana María era *"jondo"*, el más auténtico y sentimental canto andaluz, la acompañaba una guitarra flamenca, tocada por su novio Víctor.

Cuando Ana María cantaba y bailaba, acompañada por Víctor tocando la guitarra, todo se unía en una sola expresión artística. Y de allí surgían todos los sentimientos que conforman al flamenco: amor, dolor, soledad, desesperación, angustia, desamor, pasión y alegría, entre muchos más. Él tocaba su guitarra flamenca de madera ciprés, cedro y abeto en su pierna, y mientras rasgueaba su instrumento, disfrutaba mucho el poder acompañar la manera de bailar de su novia.

A su vez, Ana María, para su baile e improvisaciones, se concentraba primero en la extraordinaria sonoridad de la guitarra flamenca de Víctor, que gracias a su melodía y a los gritos de "¡olé!" de su acompañante, la inspiraban para tener mucho más empuje y energía en su baile.

Mientras mejor bailaba Ana María, más y más se enamoraba su novio de ella. Amaba su figura, sus movimientos, sus cánticos, y como ella lo sabía, lo miraba expresamente de manera pícara cuando actuaba.

La andaluza dominaba muy bien la técnica y consideraba la musicalidad, la fuerza y la velocidad en su baile, manteniendo la postura corporal requerida y el dominio del compás de cada paso de flamenco. También su percusión era fantástica, taconeando el suelo con la planta y punta de sus zapatos.

Los padres de Ana María le habían enseñado las diversas *dotes de la cultura andaluza,* en donde se encontraban la gracia, la elegancia, la picardía, la frescura y el salero. También le enseñaron los aportes de los gitanos antiguos quienes contribuían con su temperamento y pasión al interpretar, mientras que la cultura africana le sumaba al estilo la sensualidad de los movimientos corporales ante el ritmo musical, el cual era dominado por Víctor.

Al finalizar cada espectáculo, Ana María y su amado guitarrista sabían que tenían que cerrar el baile, transformando el sentir de dolor de manera intensa en uno más ligero o divertido. Cambiando las manifestaciones de dolor, soledad, angustia, desesperación y desamor por pasión, amor, alegría y entusiasmo.

Y al final de cada acto... ¡*Tan dicho como tan hecho!*... El público no paraba de aplaudir.

VENEZUELA EN CRISIS

Alfredo es un empleado de una empresa agropecuaria y está casi durmiéndose frente al televisor, cuando escucha la noticia de que...

Hoy, 29 de noviembre de 2018, el presidente de la República hace algunos anuncios importantes:

En pocos días, el 1° de diciembre, los trabajadores recibirán el 25% de su acostumbrado aguinaldo decembrino. Además, a través del Carnet de la Patria, los trabajadores recibirán un bono por navidad de 2.000 Bolívares.

El presidente también anuncia que el 75% restante de los aguinaldos y el mes de regalo para los pensionados se pagarán con la moneda virtual venezolana (el petro), que ahora valdrá 9.000 Bolívares.

Por otro lado, los trabajadores volverán a recibir su salario en la forma de pago quincenal (cada 15 días).

El anuncio más importante es el aumento del salario mínimo, que estará situado en 4.500 Bolívares, afirmando que el mes de diciembre los trabajadores cobrarán tres meses de aguinaldo, más la diferencia, más un bono al que se le denominó Bono Niño Jesús...

El presidente finalizó diciendo que los 6 millones de hogares protegidos y las misiones del Sistema Patria a partir de diciembre, tendrán nueva tabla de pago.

Esta situación, en vez de generar alegría en Alfredo, le causó desolación y tristeza, ya que todo venezolano sabe que un aumento de sueldo o entrega de dinero por parte del estado, trae consigo mayor inflación. Estos aumentos no sirven de nada, porque en la primera semana de dicho anuncio, el dinero ya no alcanzará.

Alfredo se sienta en el sillón y comienza a pensar… "A partir del primero de diciembre voy a tener un salario mínimo de 4.500 Bolívares … O sea, ¡es lo mismo que el gobierno hizo en el mes de agosto!".

"Si el gobierno lanzó el petro, centrado en las reservas de petróleo, oro, hierro y diamantes que fue como respaldo a la criptomoneda y logró que sus precios no hayan variado, *¿cómo es que hay un factor de corrección?".*

"Y entonces… este gobierno continuará pagando la diferencia de salario a los empleados por noventa días más para que los comerciantes no aumenten… Esto no servirá de nada —razonaba Alfredo —, porque ellos seguirán aumentando lo que les dé la gana como ocurrió anteriormente".

"¿Y cómo es eso que el mes adicional para los pensionados por aguinaldo lo cancelarán en petros? ¿Es que los petros no han tenido éxito como moneda virtual? ¿Qué hago yo con esos petros, si yo pago en bolívares?".

"Entonces —exponía Alfredo — resulta que también en diciembre van a ajustar la tabla salarial a los que están inscritos en las misiones del Sistema Patria, y esto variará de acuerdo a la cantidad de gente que integre el núcleo familiar. Yo no tengo nada de eso, y de ser así, la población se dedicará a tener hijos y no trabajará más, porque esto se volvió un negocio. En otras palabras... Mientras más hijos tengo, menos trabajo y más me da el gobierno. ¡Esto no está nada bien!".

Y Alfredo seguía pensando: "Esta miseria de bono no me servirá de nada. Este año no tendré ni pan de jamón, ni hallaca. Este gobierno destruyó la tradición venezolana".

"Sin contar con lo prometido, las famosas cajas del CLAP (Comité Local de Abastecimiento y Producción) —decía Alfredo — traerán un aproximado de mil toneladas de carne de cerdo, más de 2.000 Bolívares para los inscritos en el *Carnet de la Patria,* y además se les darían juguetes a los niños pobres. Lo que significa que a mí no me llegará nada, porque como vivo en una zona segura en Caracas, no me enviarán el auxilio del CLAP con alimentos, debido a que 'soy un oligarca' como nos dicen de manera despectiva los del gobierno. Además, tampoco he solicitado el Carnet de la Patria que da el estado".

"Los gobernantes dijeron que van a traer mucha ropa y calzado para ser vendidos a bajos precios, y que los alimentos para la cena navideña los regularán. ¡Bendito sea Dios! Además, los comerciantes, diga lo que diga el gobierno, siguen aumentando los precios".

Alfredo se paró de su sillón y le dijo a su esposa: "Estamos en una pésima condición, sin poder ahorrar, ni comprar lo más mínimo a nuestros hijos. Parece que seguiremos en lo mismo".

GUINEA ECUATORIAL Y SU ESPAÑOL

José Miguel nació en Malabo, una ciudad antiguamente conocida como Santa Isabel, capital de Guinea Ecuatorial. Este último es un país centroafricano que se caracteriza por ser democrático, republicano, unitario, social e independiente. Este país obtuvo su independencia de España el 12 de octubre de 1968.

Este joven es profesor de español ecuatoguineano en la Universidad Nacional de Guinea Ecuatorial, la cual es institución pública de enseñanza superior y principal universidad del país, que cuenta con un campus en Malabo y una sede adicional en la ciudad de Bata.

Orgulloso de su profesión, José Miguel le contaba a sus estudiantes que, aunque Guinea Ecuatorial era considerado como uno de los países más pequeños del continente africano, tiene una superficie de aproximadamente 28.000 kilómetros cuadrados entre territorio continental e islas. El país posee grandes riquezas en recursos naturales, yacimientos de petróleo y reservas de gas.

Del mismo modo, él les explicaba a sus alumnos que el país estaba formado por las regiones insular y continental, dividas estas en las siguientes provincias: la provincia de Bioko Norte (Malabo), que se encuentra ubicada al norte de la isla, y la provincia de Bioko Sur (Luba), situada hacia el sur de Bioko. Ambas provincias poseen un clima tropical húmedo, con playas de arena blanca, gris y negra, además de varios cráteres volcánicos de pequeño tamaño que se localizan a lo largo de las islas.

José Miguel les decía también a sus alumnos: "En la provincia del Litoral (Bata), a orillas del océano Atlántico, predomina la influencia de grandes multinacionales y allí se ha ido perdiendo la identidad colonial africana debido a la industrialización petrolera".

También les hablaba de la provincia Wele-Nzas (Mongomo), a tan solo 4 kilómetros del país vecino, Gabón, conocida por contar con la segunda basílica más importante de África Central llamada *la basílica de Mongomo* y de la provincia del Centro Sur, catalogada como uno de los mejores secretos guardados de África, con su extenso territorio montañoso el cual es favorable como el hábitat de fauna en vías de extinción como lo son: gorilas, chimpancés, elefantes, leopardos y búfalos.

"A raíz de la independencia de este país se limitó el uso del idioma español —explicaba José Miguel —, aunque una década más tarde… ¡Gracias a Dios! El español ha retornado para dominar parte de la vida diaria, y ha sido incluido en instituciones de educación. Es el idioma utilizado para redactar las leyes y establecer los nexos a nivel internacional. Y eso sucedió —continuaba diciendo el profesor — debido a que otras lenguas nativas como el bubi, el bujeba, entre otras, eran de uso netamente verbal".

La constitución de Guinea Ecuatorial reconoce al idioma español como su lengua oficial y una parte importante de su comunicación interétnica. El uso del español en Guinea Ecuatorial es dirigido por la Academia Ecuatoguineana de la Lengua Española.

El español de Guinea Ecuatorial está tan bien reconocido, que en 2013 la Real Academia de la Lengua Española, con sede en España, incorporó algunas palabras propias del español de Guinea al diccionario empleado allí. Este gesto enorgulleció mucho a José Miguel, y también a todos sus compatriotas.

Sin embargo, Guinea Ecuatorial sigue conservando su diversidad de lenguas, sobre todo por su relación limítrofe con sus vecinos Gabón, golfo de Guinea y Camerún.

Según sus propias estadísticas, el español es la lengua del 87.7% de los habitantes de Guinea Ecuatorial seguida en hablantes por el francés y el portugués.

José Miguel aprovechaba su cátedra para que sus estudiantes tuviesen mayor sentido de pertenencia con sus lenguas, regiones y tradiciones. Asimismo, les hablaba de todas las riquezas naturales de las que el país aún goza, pero de las que pocos se benefician.

Aunque el español es una lengua oficial en Guinea Ecuatorial, actualmente corre el riesgo de caer en desuso y perder importancia por la fuerte influencia del francés, portugués e inglés, que poco a poco ganan terreno debido a la influencia de las empresas petroleras norteamericanas.

Esto llevó a José Miguel a *aferrarse a este hermoso idioma*, para que no desaparezca de su país.

CUBA Y SU MALECÓN

El Malecón habanero es una de las riquezas arquitectónicas más preciadas de la República de Cuba y su ciudad capital, La Habana. Es un paseo marítimo que, a lo largo de sus ocho kilómetros de muralla que van desde el castillo de la Punta hasta el Torreón de la Chorrera del río Almendares, inspira no solo a los cubanos, sino a miles de turistas que le visitan a diario.

La construcción de este gran proyecto de ingeniería, con cinco siglos de historia, tardó en llevarse a cabo alrededor de 50 años. Su principal objetivo fue el de evitar las inundaciones debido al elevado oleaje del mar que inundaba parte del litoral de la isla. Sin embargo, hoy es un lugar muy visitado por turistas, allí se reúne un gran contingente de gente; tanto cubanos como extranjeros, a disfrutar el malecón a todas las horas del día.

Alejandro se encuentra allí permanentemente por ser guía turístico y cuentacuentos. Aprovecha este escenario natural rodeado de edificios con tendencia barroca y repleto de gente para hacer su trabajo.

Este teatro a cielo abierto se convierte a cada amanecer en refugio de ciudadanos provenientes de todo el mundo, que contemplan la vida tradicional cubana en todo su esplendor. Las puestas del sol caribeño son un espectáculo único que se adorna con los colores emanados por el mar, los olores a frutas frescas y el sabor de su gente como paisaje tropical.

Alejandro era un chico de tan solo 14 años que se le escapaba a su madre cada día después de ir al colegio para irse al malecón. Este joven se había aprendido todo lo relacionado con la historia de este paseo y con mucha gracia contaba sus relatos a la gente, disfrutando a plenitud lo que hacía, ¡porque le apasionaba! sobre todo cuando recibía su propina.

Por lo general, él trataba de reunir a varias personas y luego en altavoz narraba sus cuentos, describiendo los monumentos existentes a lo largo de la avenida que va paralela al malecón como lo son: los generales Antonio Maceo, Calixto García y Máximo Gómez. Al comenzar el trayecto que siempre recorría con los viajeros, describía a Cuba como un estado socialista liderado por el partido comunista.

"Déjame ver —decía Alejandro, iniciando su narración — La construcción de este Malecón duró cerca de cincuenta años".

> *"El primer trayecto elaborado entre los años 1901 y 1902 y me parece que abarcó desde el Paseo del Prado hasta la calle Crespo. El segundo tramo realizado en el período 1902 y 1921 se extendía, si no me equivoco, hasta el monumento al Maine. El tercer tramo duró hasta los años 30 y terminaba en la avenida de los presidentes y el cuarto tramo y final fue llevado a cabo entre 1948 y 1952. Culminaba el Malecón en la desembocadura del río Almendares".*

De allí Alejandro agarraba aire y pasaba a otro recuento diciendo:

> *"Aquí está uno de los fuertes más importantes de La Habana, se denomina el castillo de San Salvador de La Punta que fue construido ente los años 1589 y 1630 se hizo para defender la entrada de la bahía. Esta construcción la detuvieron más de una vez y en 1601 fue derrumbado uno de los baluartes de los cuatro que los integraban. Fíjense que la construcción hecha de piedra se caracteriza por no llevar ornamentos de ninguna naturaleza y tiene forma poligonal".*

En la medida en que Alejandro relataba, hacía muecas con su cara, caminaba y manoteaba sus brazos, mientras sonreía logrando cautivar al público y a su vez exclamaba:

> *"En La Punta en la mañana del 1 de septiembre de 1851 ¡por alta traición! El héroe venezolano Narciso Pérez fue ejecutado a garrotazos ¿qué les parece? A este pobre hombre lo golpearon sin compasión".*

Y continuaba diciendo:

> *"¿Qué les parece? en 1646 se finalizó la construcción del fuerte de Santa Dorotea de la Luna de la Chorrera, que también se hizo como protección del río Almendares justo donde desemboca, porque por allí pasaban los buques de la Corona Española para abastecerse de agua.*
>
> *Cuando la toma de La Habana realizada por los ingleses, este torreón lo destruyeron, pero más tarde lo hicieron de nuevo en el gobierno español".*

A su vez explicaba que:

> *"Esta estructura se hizo redonda con capacidad para un aproximado de 50 personas y tenía artillería. Pero fue atacada también por muchas naves de guerra".*

Describía Alejandro que la embestida más fuerte fue hacia el este, pero que por La Chorrera también ingresaron unos mil militares ingleses y que La Habana tuvo que entregarse porque tomaron Guanabacoa, volaron el Morro y de paso destruyeron con cañones a este torreón.

> *"¿Y cómo no se iba a rendir? —decía Alejandro —. Menos mal que la estadía de los ingleses fue corta, porque se negoció la península de Florida en un acuerdo de paz firmado en la ciudad de París y después, donde estuvo ubicado este torreón, se hizo un castillo de forma rectangular con bastantes cañones en su azotea".*

Ese día Alejandro ganó muchas propinas y sonreía con su mirada pícara a sus oyentes pensando dentro de sí: *¡Ufff! Menos mal que me creyeron, aunque traté de acordarme de todo.*

ARGENTINA Y SUS TANGOS

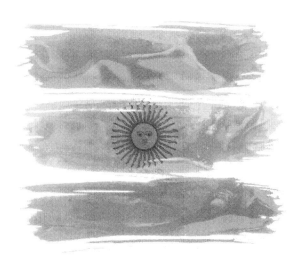

El tango argentino se conoce en todo el mundo por ser un baile que surgió hace más de 200 años en las ciudades de Montevideo y Buenos Aires. Este baile se caracteriza por pertenecer a un género musical sustentado en un compás muy rítmico, más dos o tres partes que se repiten en patrones.

A Roberto y a Albertina les fascina el tango por la música, sus movimientos y el desenfreno del baile en sí. Ellos son de los que piensan que la letra del tango se centra en un argot popular argentino denominado *Lunfardo* y que el mismo se basa en las necesidades del hombre, tales como el sentimiento, el romance y el amor entre otros.

Estos excelentes bailarines dominan muy bien el estilo musical que generó este baile, donde convergen influencias del tango de Andalucía, la mazurca de Polonia, la milonga de Río de la Plata, la música habanera, la danza africana, la polka europea, el candombe y el canyengue cabaretero e informal y juntos danzan con mucha emoción y de manera sensual, aprovechándose a su vez del conocimiento de la música, la orquesta y los instrumentos tales como el piano, los bandoneones, los violines y contrabajos para poder distinguir los distintos estribillos y temas.

Roberto y Albertina leen mucho sobre lo que significa la palabra *tango,* sin embargo, aún no tienen claro el asunto debido a que existen profundas discusiones sobre el particular y entre ellos argumentan: Albertina —decía Roberto — en 1914 se afirmó que esta palabra provenía del latín *tangere,* pero posteriormente esta aseveración se descartó por el mismo Diccionario de la Real Academia Española".

Luego se supo que en África y América se utilizaba la palabra *Tango* como sitio de reunión y que el término ingresó al país argentino a través de gente proveniente del sur de Sudán, del golfo de Guinea y del Congo" — continuaba argumentando Roberto.

"La creencia siempre ha sido que esta palabra proviene de África —contestó Albertina —, aunque hay investigadores que afirman que el término se derivó por influencia del canyengue y la milonga. Otros expertos en la materia también señalan que se deriva del quechua, partiendo de la palabra *Tanpu,* la cual se hispanizó en la época de la colonia como *Tambo,* que a su vez es sinónimo de tango".

"Yo prefiero la hipótesis que afirma que el *Tango* fue creando a mediados del siglo XIX a través de una fusión africana y argentina, emanada de academias" — continuaba diciendo Albertina. "¡Sí! Yo también estoy de acuerdo con eso —decía Roberto —. Comparto con esa conclusión uruguaya y argentina ante la UNESCO, que establece que el mismo surge de entre gente pobre en ambas ciudades y que los nativos e inmigrantes provenientes de Europa generaron unas fusiones afrouruguayas y afroargentinas hasta el punto de que hoy día el tango forma parte de la cultura de la región del Río de la Plata".

COLOMBIA Y SU POLLERA

María nació en el puerto petrolero llamado Barrancabermeja, en Santander, Colombia y a esta ciudad solían ir muchos trabajadores que pertenecían a empresas petroleras. A esta muchacha le gustaban las fiestas y salir a bailar, por lo que frecuentaba un club llamado Hawái, donde tocaba una orquesta muy buena del músico Pedro Salcedo y a ella le encantaba la tonalidad de Wilson Choperena, el cantante principal.

Dentro de todo el repertorio a ella le fascinaba la canción instrumental compuesta en 1960 por el clarinetista Juan Bautista Madera Castro titulada: *La pollera colorá,* inspirada en una mujer muy hermosa llamada *La Morena Maravillosa.*

Un día Chopena le pidió permiso a Juan Bautista para escribir la letra a su canción y un sábado, cuando se acercó de nuevo al lugar en donde tocaba la orquesta y escuchó la letra de su canción preferida, María entró en histeria total.

Pronto se aprendió de memoria la letra de La pollera colorá.

Fue tanto el éxito de la canción que al club asistían muchas personas y un día María escuchó cuando el creador de la canción instrumental le dijo al maestro Chopena, compositor de la letra: "Hablemos claro Chope, esto se lo debemos a las mujeres de la mala vida", y juntos se rieron hasta más no poder.

"¡Que bella cumbia!" —decía María y volvía de nuevo a la calle sin asfalto y sin salida en donde se encontraba el Hawái, con su falda roja y bien maquillada. Tenía que llegar temprano, porque cuando se tocaba esa pieza no cabía la gente para escuchar esa canción, allí estaba el pueblo completo, y entre ellos la gente de las compañías petroleras sin distingo de rango y de nivel, con sus amigas rubias que les servían de compañía, las cuales perdían el pudor cuando ingerían licor.

Esta muchacha sabía que se acercaba la Fiesta del Petróleo y se mandó a hacer su pollera o falda nueva de tela de algodón rojo con bordados y encajes, ya que era una bailarina folclórica colombiana que participaría en dicha fiesta. Ella bailaba, junto con el grupo de norteamericanas y criollas, la cumbia, el bambuco, el pasillo, el tamborito, el bunde, el bullerengue, y participaba en comparsas, reinados y desfiles de carnaval.

Además, le habían dicho a María que habían grabado La pollera colorá por una radio local y también en la ciudad de Medellín, con el firme propósito de que para la Fiesta del Petróleo se escuchara en todas partes y todo el mundo la cantara.

"Estupenda noticia —dijo María — será todo un éxito. ¡Lo sabía!". Se acercó al resto de sus amigas y les informó: "Salcedo, el director de la orquesta, se fue a Barranquilla a grabar sus canciones y me contaron que no llevó La pollera colorá". "Pero ¿cómo es eso?" —dijo Berenice, una de sus amigas. "Pues sí, ¿qué les parece? —continuó María — Pero llegó el que hizo el instrumental de esta canción y le sugirió que no la dejara afuera, y aceptó". "¿En serio? —respondió otra de sus compañeras — ¡Pero si esa es la mejor! La pollera era una canción famosa antes de que se grabara ese disco y todo el mundo ya se sabía esa canción".

La canción se grabó de manera definitiva en un formato de 78 revoluciones por minuto y fue registrada en 1962 en la notaría de Barrancabermeja, especificando que Madera creó la música y Chopena la letra de esta exitosa pieza.

PUERTO RICO Y LOS GRINGOS

Tomás vive en San Juan, Puerto Rico, y por ende domina dos idiomas, el español y el inglés. Este joven es uno más de la densa población de su país que llega a los 3,7 millones de habitantes. Este país se caracteriza por ser muy próspero e industrializado y se distingue por la elaboración de excelentes rones y su desempeño industrial farmacéutico.

Este muchacho disfruta del desarrollo de su país, el cual tiende a la cultura norteamericana, pero también le encanta la cultura de su isla: Borinquen. Además, le gusta mucho la variedad de su clima tropical, la vegetación, el mar, las costas, los lagos y las montañas.

El dominio de dos idiomas del pueblo puertorriqueño se debe a que la isla pasó a los Estados Unidos en 1898 después de la guerra hispano-americana. Esto trajo como consecuencia que declararan estadounidenses a la población puertorriqueña en el año 1917. Solo 31 años después convocaron unas elecciones y en 1952 decretaron que ese país era Estado Libre Asociado.

Tomás se siente muy orgulloso de la historia y evolución de su país, desde que en 1493 Cristóbal Colón descubriera esta hermosa isla de 154 kilómetros de largo y 49 kilómetros de ancho. Tomás ama el *castillo de El Morro*, el *Fuerte de San Cristóbal* y las calles hechas de piedra en donde se encuentra el *Museo Pablo Casals*, la *Casa Blanca* y la *Catedral de San Juan*, entremezcladas con locales especializados en la atención al turista, dándole a la ciudad una relación muy especial.

También le agrada que su país, junto con 13 territorios más, no haya sido anexado dentro del territorio estadounidense; y que hasta hoy conserve su identidad propia como un estado libre asociado y cuente con su propio gobierno.

Sin embargo, a Tomás le inquieta que lo denominen *gringo*, ya que no entiende bien a qué se refieren cuando así lo llaman debido a que *gringo* no es más que una ambigüedad llena de prejuicios, que además, tiene muchas interpretaciones diferentes dependiendo del país en el que estemos. Tomás decía: "Mayoritariamente se entiende que el *gringo* es estadounidense, pero cada quien lo interpreta a su manera y esto es lo que no me gusta".

"Tomás, ¿por qué te incomoda esto?" —le preguntaba

su mejor amigo Javier. "En Uruguay la palabra *gringo* significa inglés o ruso —explicaba Tomás —, en Bolivia, Honduras, Nicaragua y Perú se refiere a una persona rubia y de tez blanca y en Costa Rica, se refiere a cualquier extranjero". "¿Y, entonces? ¿Cómo explicas todo esto?" —decía.

Desde que tenía uso de razón Tomás aborrecía que lo tomaran por *gringo*. Pues ser asumido por estadounidense casi nunca se trata de un cumplido, sino de una ambivalencia mezclada con el resentimiento que producen las tensas relaciones con los Estados Unidos.

A veces Tomás se quedaba reflexionando en sus pensamientos: "Si es que ser *gringo* se refiere a un extranjero que solo habla inglés no debe aplicárseme, porque yo nací y me crié en esta isla y además hablo español. Si por otro lado, un *gringo* es un estadounidense, entonces no soy *gringo,* porque soy puertorriqueño. Y si ser *gringo* es tener una actitud prepotente hacia los hispanos que se sienten superiores solo por ser estadounidense, entonces pienso que nosotros somos iguales a ellos y podemos rendir al mismo nivel".

Javier se reía muchísimo con esta situación y le decía: "Sí, tienes razón, es toda una confusión".

Tomás le dijo: "Las veces que visito lugares públicos que estén en Puerto Rico o América del Norte, siempre respondo en español, y a pesar de ello el trato que recibo es de *gringo*. Con frecuencia me preguntan de dónde soy y al decir que de Puerto Rico me dicen: *"Oiga, usted habla muy bien el español"*. ¿Qué otra cosa iba a hablar? —les responde Tomás —, si hablo el español desde que nací".

En síntesis, la categoría popular de *gringo* tiene desagradables connotaciones raciales en Puerto Rico y que se relacionan con otros términos peyorativos. Esa es otra razón por la que a Tomás le incomoda tanto que, debido a su color de piel, las personas crean que él no es de Puerto Rico.

A Tomás le molesta que solo se asocie al boricua con el estereotipo del hombre de tez morena y a los estadounidenses con el estereotipo del hombre blanco, siendo que hay tanto boricuas como estadounidenses de todas las tipologías.

CHILE Y SU CAPITAL HUMANO

El Banco Mundial a través del Instituto de Métrica y Evaluación de la Salud, realizó una investigación para indagar en 194 países acerca de las condiciones de su capital humano.

Y toda esta iniciativa se debió a que en la medida en que se inserten conocimientos, aptitudes y atención a la salud en el individuo a lo largo de su vida, mayor será su capacidad productiva y este capital humano es el que mueve la economía e induce al crecimiento de los mercados.

Se pretendía sondear el potencial para el trabajo en edades comprendidas entre 20 y 64 años, tomando en cuenta indicadores tales como: la calidad educativa, el bienestar y el nivel académico de los trabajadores.

Miguel, nacido en Santiago y experto en economía, estuvo muy al pendiente de esta evaluación y se enteró de que su ciudad natal se encontraba en la posición número 50 en la clasificación, lo que significa que estaba casi a la par de Canadá y Estados Unidos.

Entendió este economista que, en términos absolutos, el nivel alcanzado por Chile podría dar la impresión de no ser tan bueno, pero al compararlo con otros países se apreciaba de lleno el posicionamiento del mercado.

Él sabía que se tenía que conocer la diferencia entre los costos y los gastos adquiridos por la gente en sus estudios, con el costo y rentabilidad productiva ¡y en eso su país estaba excelente!, el mercado chileno superaba a Argentina, Brasil, Paraguay y Uruguay. Además, entendía, como buen economista, que las compañías inversionistas revisaban de la misma forma estos indicadores para hacer negocios con Chile y que cuando percibieran lo mismo que él, esto iba a traer muchos beneficios al país.

Miguel tenía muy claro que una educación de calidad va de la mano con la productividad económica y esa prospectiva era favorecedora, porque los jubilados gozarían de un buen status.

Razonaba Miguel de la siguiente manera delante de sus colegas: "Un niño nacido hoy en Chile, si se le proporciona una educación completa y salud plena, tendrá a los 18 años un 67% de productividad laboral. Ello significa que el personal adscrito al sector empresarial gozará de una mayor formación, calidad, destreza y experiencia".

"Menos mal que se cuenta con el Sistema de Certificación de Competencias Laborales, el cual se encarga de fortalecer al capital humano, incrementando el conocimiento, capacidades y fortalezas de los trabajadores y además reconoce las competencias adquiridas —señalaba —. Con esto se completa el círculo".

Miguel quería que sus colegas también fuesen plenamente conscientes de que el capital humano tiene que ver con *la salud, el conocimiento y las habilidades que una persona sea capaz de acumular durante su vida.* Esto es lo que permite desarrollar todo su potencial productivo en la sociedad. "¡Esa es la verdadera clave!" —decía.

ECUADOR Y SU FOLKLORE

Ecuador es un país perteneciente a América del Sur, tiene límites con Colombia, Perú y el océano Pacífico. Este país está en capacidad de obtener materias primas de su ambiente, incluso para exportarlas a otros mercados, trayendo como consecuencia un beneficio económico y político.

Este hermoso país es de pequeñas dimensiones y ocupa el cuarto lugar en el subcontinente, sin embargo, presenta una alta población, ocupando el décimo lugar en población en América. Su gran ventaja es la reserva de petróleo, junto con la producción del cacao, flores, banano y camarones. Se distingue de los demás países por ser el único en incluir los derechos de la naturaleza en su Carta Magna.

Su folklore se centra en la cultura prehispánica y sus costumbres autóctonas se mezclan con las españolas, en sus bailes típicos y su cultura.

En Quito, su capital, se encuentra una asociación encargada de promocionar al folklore ecuatoriano, la cual recibe millones de turistas extranjeros al año. Esto posiciona al Ecuador como destino del turismo internacional.

Juan es el encargado de esta asociación y es un buen conocedor del folklore ecuatoriano, al que él mismo suele representar en las danzas y bailes con mucha habilidad, astucia, inteligencia y creatividad.

Dado a que de forma permanente se hacen fiestas en las diversas regiones del Ecuador, Juan coordina de manera muy eficiente a cada uno de los grupos folklóricos que exponen sus tradiciones a través del baile en los actos populares. Debido a que la mayoría de los ecuatorianos son de religión católica, la mayoría de las actividades están dedicadas a los santos y a aspectos relacionados con esta religión, entre ellos: el día de los difuntos, Corpus Christi, San Pedro, Noche Buena y día de Reyes, entre otros. También suelen celebrarle el día a cada Virgen, dentro de las más famosas se encuentran: la Virgen del Carmen, la Virgen del Guadalupe y María de las Mercedes.

Juan suele, a través del folklore, impresionar a los presentes representando el pasado con aborígenes y españoles e identificando las diversas clases sociales.

Cuando representa la danza suele reflejar la herencia cultural y la vivencia del pueblo, modelando el escenario con el ambiente.

En la composición del folklore, Juan incorpora detalles de acuerdo a la época, planteándose estas interrogantes: ¿Cómo siente la gente a los muertos?, ¿cómo se vestían en la época?, ¿qué comían en esa fecha?, ¿cómo era la decoración imperante?, ¿cómo celebraban a los santos? Juan también toma en cuenta el mito, la leyenda, la bebida y la danza, entre muchas cosas más. Para ello, él suele hablar con los viejos danzantes para aprovechar sus conocimientos y, a su vez, comparte sus ideas con ellos para hacer del baile la mejor representación.

Igualmente, se interesa por conocer la conducta del pueblo averiguando sus valores y principios, para luego representarlos en la danza. Por ejemplo, Juan se va a charlar con el indigente, con el campesino y con todos aquellos personajes que le aporten algo, para posteriormente plasmarlo en sus bailes.

Juan sabe que la danza y el baile folklórico son espontáneos, que no tienen quién los dirija, que ambos emergen naturalmente y que nadie puede inculcarle ni edad ni características forzadas para su ejecución.

Ambos representan la religión, la economía, lo social, lo

indígena, el paganismo y los grandes reinados, entre otras cosas; y todas estas ideas se conjugan generando combinaciones entre las que se encuentran *Corpus Christi con Danzantes* y la *Virgen de las Mercedes con la Mama Negra,* entre muchas otras composiciones.

BOLIVIA Y SUS LLAMAS

En Bolivia se encuentra un animal mamífero conocido comúnmente como llama, su nombre proviene de guanaco salvaje, un dialecto regional, además predomina en Perú, Chile, Ecuador y Argentina.

La cultura boliviana gira alrededor de la llama, debido a que este animal abunda en la región y las familias bolivianas las crían alimentándolas de pasto. Se puede decir que en este país existe la mayor cantidad de estos mamíferos de todo el planeta.

Estos camélidos vienen a ser el distintivo de los Andes, porque están presentes en su identidad y cultura. Tanto es así, que aparecen en su escudo desde el año 2004 como símbolo patrio representando al reino animal boliviano.

Las llamas conviven perfectamente con los campesinos, y los mismos las usan para el transporte de gente y utensilios. El ser humano suele utilizar su carne para consumo, con la lana hacen prendas de vestir y el estiércol se aplica como fertilizante de cultivos y como combustible.

Don Fernando de 66 años de edad vive con su esposa en la comunidad de Bella Vista, Departamento del

Beni, Bolivia. Él utiliza la lana de la llama que es comercializada por ser de muy buena calidad, y además piensa que este es un animal que aporta muchas ventajas y pocos gastos. Él domina muy bien la crianza del camélido y dice que de las cuatro especies de estos mamíferos existentes en el mundo, solo la llama y la alpaca se usan para ser criados en los hogares y en pequeños grupos.

Señaló Don Fernando que es tanta la relación con la llama en Bolivia, que está siempre presente en sus festividades, utilizándose como obsequio a las parejas de novios en sus bodas y a los niños.

La ciudad donde vive Don Fernando se encuentra justo en la cuenca de un río llamado Iténez. El lugar es hermoso, la zona está protegida por su riqueza natural y fue declarada parque nacional que se denominó *Parque Departamental y Área Natural de Manejo Integrado,* el cual amerita iniciativas conducentes al desarrollo sostenible y de conservación de los recursos naturales, debido a que allí confluyen el paisaje, la ecología y la comunidad.

Este parque presenta un ecosistema único en Bolivia

debido a las características de sus bosques, sabanas y extensos palmares de diferentes especies. Y no se puede dejar de mencionar a la castaña amazónica que ha generado impacto en la economía y en la sociedad boliviana.

Un día, un visitante de la zona fue a visitarlo y le preguntó qué era lo que más le gustaba del lugar y Don Fernando respondió: "Me gusta mucho la manera de ser de la gente, sus paisajes y cómo se come". "A mí me parece que esto es un paraíso —decía el visitante —, nada más con ver la gran cantidad de animales, sus bosques y ríos, uno tiene para distraerse. Esto es una maravilla para los turistas que buscan la naturaleza".

"Sí —contestó Don Fernando —, me gusta ayudar a la conservación de este parque, porque tiene mucho que resguardar, sobre todo los bosques que aún no han sido intervenidos por la mano del hombre, al igual que sus grandes sabanas y paisajes. Hay que ver la cantidad de vida animal y vegetal que se encuentra refugiada en este parque".

"Yo por lo menos tengo cien llamas en el patio de mi casa, y toda mi familia las vigila y se turnan para el pastoreo —continuaba diciendo Don Fernando—. De allí obtengo ganancias, porque a veces vendo su carne o el animal vivo en el mercado. Mi esposa y yo decidimos qué hacer y de mutuo acuerdo procedemos. También nos beneficiamos con ellas en la casa en donde vivimos, porque con el estiércol fertilizamos y cocinamos, ya que hace combustión y a las llamas macho las usamos para cargar cosas... Aunque ahora se usan automóviles y motocicletas para el transporte". "¿Y de dónde aprendió a hacer tantas cosas, Don Fernando?" —dijo el transeúnte. "Todas estas costumbres las aprendí de mis padres" —respondió sonriente.

"Me preocupa que la gente ya no sea como antes —continuó— cuando se utilizaba solamente la llama para todo. Ahora tú ves que prefieren los ovinos o en los rebaños de llamas incluyen otros animales, lo que ha conducido a la reducción de la cría de llamas en el núcleo familiar". "Es lamentable —comentó el visitante—. Cuando la llama no se cuida bien, su carne no es buena y al ofertarla en el mercado, bajan sus precios por su baja calidad".

"Esto va cada vez peor —decía el veterano Don Fernando —. El gobierno regularizó en la región el pastoreo, se cruzan las llamas con igual ascendencia, los pastizales no son como antes y no hay quien se ocupe de estos pobres animales".

El caminante siguió su rumbo y comentó: "No sé qué irá a pasar en este mundo… El hombre lo ha destruido todo".

REPÚBLICA DOMINICANA Y SU TURISMO

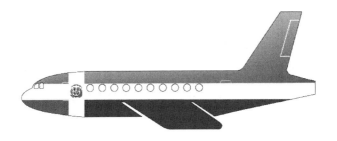

Cuando se habla de turismo en Santo Domingo hay que volver del "aquí y ahora" al pasado, ya que su desarrollo comenzó entre los años 1944 y 1958. Una vez que Rafael Trujillo Molina murió, mucha gente fue a hacer inversiones y a vacacionar; aunque más tarde ocurrió una guerra civil en 1965 y el turismo decayó. Posteriormente repuntó al año siguiente, debido a que el presidente electo Joaquín Balaguer emprendió estrategias exitosas para ello.

Dos años más tarde se legisla para el turismo y para el año 1971 se crea una ley de vital importancia para el sector: la Ley 153, que buscaba la promoción del turismo, facilitando los incentivos para el desarrollo de ese sector. Al siguiente año es creado el departamento de *infraestructura turística,* que tenía como finalidad la creación de toda la infraestructura necesaria para desarrollar el turismo en la República Dominicana.

Emeterio era un experto en turismo y solía estar siempre relacionado con esta área. Un día fue entrevistado por Raúl, un periodista que también estaba especializado en turismo y le preguntó: "¿Cuándo considera usted que se emprendió el turismo en Santo Domingo?".

"En los años 70 —respondió Emeterio— y prueba de ello es que en los años 90' era el mayor generador de divisas en ese país, superando a otros bienes que por tradición también venían favoreciendo la economía". "¿Y qué me dices de la infraestructura?" —interrogaba Raúl. "Esto ha sido todo un éxito, debido a que a través de convenios y asesoramientos externos, el turismo ha sido explotado al máximo" —decía muy entusiasmado el licenciado en Turismo.

"Yo supe aprovechar la oferta —continuaba—. Cuando tú ingresas en este negocio tienes que estar muy pendiente de ver las ventajas que te ofrecen en el plano económico y político". "Pero ¿cómo es eso? Explícame mejor" —expresaba interesado Raúl. "Hay ciertos indicadores, por ejemplo, ¿quién lleva el liderazgo en la economía?, ¿qué es lo que llega de afuera del extranjero?, ¿cuándo hay intercambios en la manera de hacer turismo?, ¿quién genera más divisas y cómo entra la moneda extranjera?, ¿cuántos vuelos están llegando a Santo Domingo provenientes de otros países?, ¿está el turismo generando empleo?... Y así es como creé mi red turística de inversión".

"En verdad, Santo Domingo es ideal para el turismo —decía extasiado el famoso y experto periodista —. Primero su ubicación, justo en el mar Caribe, luego sus paisajes y playas, ¿qué más vas a pedir? Dígame cuando vas a la península de Samaná, La Romana, La Altagracia y Puerto Plata… eso es hermoso".

"Sí, pero no todo es color de rosa" —decía con énfasis Emeterio. "¿Pero, por qué?" —preguntaba Raúl. "Para empezar, el desarrollo trae mucha contaminación por los autobuses, también por la entrada perenne de materiales tóxicos y los desperdicios que esto deja" —aportaba el licenciado. "La verdad es que —decía Raúl — ¡no es solo eso! Al construir se acaba con la flora y la fauna".

"No te olvides también que la mayoría de las empresas de turismo son extranjeras" —continuaba diciendo Raúl. "¡Así es!, yo soy de aquí e invertí en una cadena de cinco hoteles, porque esto es lo que sustenta el país y eso es lo importante, aquí se vive de eso".

GUATEMALA Y SU VOLCÁN

Francisco se levantó a las 6 de la mañana el 3 de junio de 2018 al escuchar los ladridos de los perros en su comunidad, San Miguel Los Lotes, en las faldas del volcán del Fuego. Se lavó la cara y preparó su desayuno, salió al patio para alimentar a sus gallinas y barrió su rancho con piso de cemento y láminas de zinc.

Luego se fue a trabajar en su huerto, el cual consideraba un jardín. De pronto, estalló el llamado *Volcán del Fuego* a las tres de la tarde y la explosión desde 800 metros de altura generó la caída inmediata de lava y fuego en la zona.

A Francisco de 48 años, a su esposa Cristina de 35 y a sus tres hijos Roberto, Alfredo y Sebastián, de 10, 7 y 4 años respectivamente, la vida les dio un vuelco.

Junto con otras familias, Francisco y su gente corrieron con urgencia antes de ser sepultados bajo toneladas de cenizas y pudieron ver cómo centenares de niños, familias, casas, coches y hasta aldeas enteras quedaron engullidos por la lava.

Ellos volteaban y veían que la lava y el fuego se les venían encima, pero gracias a Dios pudieron salvarse, aunque por todos lados había destrucción y muerte, mientras el calor, la nube de ceniza y un aire ácido eran intolerables. Además, la temperatura estaba a cien grados en la superficie aproximadamente.

Pasado el susto y la tragedia, con la erupción del *Volcán de Fuego* vino otra catástrofe aún peor: los enviaron a un albergue repentino en Escuintla y aún permanecen allí a muchísimos días de esta tragedia. Francisco se encuentra muy deprimido y le preocupa mucho esa situación que afecta a su familia completa. En su rostro se percibe la angustia e indignación y decía: "Soy de San Miguel Los Lotes y el gobierno nos abandonó en este refugio".

"Por lo menos deberían darnos una parcela para construir nuestra casa y volver a sembrar. Nosotros podríamos edificar nuestras viviendas, no queremos estar aquí, porque estamos en un ambiente improvisado y eso es muy triste".

"Queremos volver adonde vivíamos —decía —. Así hayamos perdido todo y allí ya no quede nada. Ni siquiera tengo donde trabajar, porque la empresa de construcción a la que pertenecía cerró y nuestras plantaciones de árboles frutales, caña de azúcar, café y legumbres desaparecieron. ¡Estamos en la indigencia!".

"Apenas nos contratan para hacer trabajos momentáneos en casas de familia y no tenemos seguridad social. Recibimos desayuno, comida y cena, pero no son nuestras tradiciones alimentarias" —agrega dolido.

A toda esa gente confinada en albergues no se les informa qué pasará con ellos, adónde serán trasladados, ni cuánto tiempo permanecerán allí. Y su dolor aún permanece por la pérdida de sus familiares, amigos y por todos sus bienes. Regularmente acuden al sitio de la tragedia buscando entre las cenizas a ver si consiguen los restos de su gente… Pero nada, todo se perdió.

EL SALVADOR Y SU ENCLAVE ARQUEOLÓGICO

Hace 8.000 años surgió una civilización originada por migraciones sucesivas hacia América Central, este país se conoce como El Salvador.

Henry es un antropólogo y profesor universitario nacido en San Salvador que trabaja hacia el occidente del país en Tazumal, Chalchuapa, Departamento de Santa Ana, donde se hacen excavaciones arqueológicas y ello ha traído como consecuencia el aumento de reportes de los lugares en donde se encuentran estos hallazgos arqueológicos, los cuales son registrados en el Departamento de Arqueología y forman parten de los datos que se derivan del Proyecto Atlas.

La ocupación de Tazumal tuvo lugar desde 1200 a.C. y se encuentra a 80 kilómetros de San Salvador. En 1892 fue reportado por primera vez ese lugar, y posteriormente en 1940 se llevó a cabo su registro de manera formal. Esta es la razón del porqué Henry se encuentra allí: este lugar está incluido en Chalchuapa, una zona arqueológica por excelencia, con un aproximado de 10 km² de arqueología teotihuacana y tolteca. También se localizan en esta zona arqueológica: Pampe, Casa Blanca y El Trapiche.

Las dos zonas que componen a Tazumal poseen características diferenciadas y manifestaciones de su propio tiempo. En este importante asentamiento maya, se encuentra una pirámide, que es una de las mejor conservadas del mundo, además de 20 tumbas que siempre cautivan a los visitantes.

Este investigador tenía muy claro que, a través del paso de los años, se gestaron principios, cultura y valores en la región mesoamericana y El Salvador se nutrió de toda esa influencia.

Este profesional y científico tiene amplios conocimientos en antropología y los utiliza para resolver problemas específicos de su país. Fundamentalmente se especializa en antropología sociocultural o etnología, aunque también domina la arqueología y otras especializaciones de la antropología, como la lingüística filosófica, biológica y forense.

Este antropólogo sabía que El Salvador está integrado a la Ruta Maya y ello significa la presencia de ruinas sepultadas que fueron habitadas por los mayas, nahuas y lencas. Gracias a sus investigaciones étnicas o culturales, Henry ha publicado libros y artículos científicos e imparte clases en la universidad a nivel doctoral y asesora a los estudiantes en este nivel de tesis.

También anima a los estudiantes a revisar amplios contenidos bibliográficos y se los lleva a su zona de trabajo para que escriban diarios de campo y realicen, a su vez, trabajo de campo, analizando las manifestaciones y transformaciones culturales.

Estas salidas de campo se realizan en autobús y visitan también otros sitios arqueológicos como San Andrés y Joya de Cerén en la región central. Henry también los lleva al oriente, al departamento de San Miguel, debido a que allí se ubica *Quelepa*, otro lugar importante para investigar

Cerca de la Joya de Cerén, lugar precolombino de El Salvador y San Salvador, se encuentra San Andrés, allí existen estructuras arqueológicas de los mayas que datan desde los años 100 a 1200 d.C. y también hay una interrelación con el lugar arqueológico de Copán y con la cultura teotihuacana y tolteca.

En la Joya del Cerén, debido al estallido del volcán *Loma Caldera,* se encuentran ruinas de una comunidad que fue sepultada bajo sus cenizas. Además, se le declaró Patrimonio Cultural de la Humanidad, existe un museo que muestra cómo eran las costumbres de los mayas hace 1400 años.

Un día, Henry, al regresar de sus prácticas con los estudiantes, llegó a su oficina y encontró una carta de sus alumnos, en ella decía que había sido nombrado *padrino de promoción* gracias a sus méritos como académico. Con lágrimas en los ojos, se sintió halagado, ya que se le había reconocido su esfuerzo.

HONDURAS Y SU IDENTIDAD

Margarita es una hondureña que ama su patria y piensa que la cultura de su país es el conjunto de expresiones de un pueblo entre las que se encuentran leyes, normas, costumbres, prácticas, códigos, comportamiento, vestimenta, idiosincrasia, rituales mágico-religiosos y sistemas de creencias.

Honduras es multiétnico y multicultural, su identidad se debe a la conjugación de diversas culturas, entre las que se destacan las étnias indígenas, mestizas, los arahuacos y las etnias garífunas, quienes descienden de los aborígenes de África y del Caribe. Esta afirmación se basa en estudios geográficos e históricos.

Como socióloga, Margarita está convencida de que al hondureño debe conocérsele como ser humano y que además de apreciar las hermosas áreas y paisajes de este país, también habría que rescatar la identidad nacional, comenzando por la familia y continuando en la escuela.

Esta joven considera que se deben cuidar las playas y riberas de los ríos, los árboles y sus frutos, el aire que se respira, la tierra hondureña donde se vive, así como la flora y la fauna, porque todo importa cuando se ama un país.

Según su perspectiva, opina que hasta las cosas de mayor insignificancia deben ser importantes para el hondureño, y se requiere conocer la historia, el "aquí y ahora" y la prospectiva futura.

Esta socióloga afirma que, para rescatar la identidad nacional, los hondureños deben vestir prendas indígenas, degustar las deliciosas comidas típicas, disfrutar de la música folklórica y respetar los símbolos patrios, entre otros aspectos importantes. Además, sugiere que también se trata de la cultura hondureña cuando el pueblo conoce la historia de los libertadores y de esa tierra que recibieron como herencia, pero que no se ha aprendido a valorar.

Margarita ama toda la naturaleza y disfruta hasta las particularidades como la neblina, el sereno y el rocío, el ruido sonoro de las olas espumeantes del mar, el ladrar y aullar de los perros, las flores hermosas de su jardín, el mugir y el olor de las vacas, el canto matutino de los pájaros y todas esas cosas que parecen insignificantes, pero que forman parte de la identidad nacional de todos los hondureños.

Margarita se propuso entonces a estructurar un taller para ser dictado en las diversas comunidades y etnias: Yucarán, El Paraíso, Azacualpa, Intibucá, San Pedro Sula, Tela, La Ceiba, Danlí, y de otros lugares del país para realizar cambios significativos, incentivando los valores, preservando la cultura tradicional, la calidad de vida de sus comunidades, induciendo las sendas del desarrollo, la protección de la naturaleza, la prevención de enfermedades y el valor de su gente.

Margarita está convencida de que en su país hay una crisis de valores cívicos, étnicos y culturales y que la única forma de superarla es reformando la educación en las escuelas, rescatando la autoridad en la familia, retomando el respeto a los mayores, incentivando la veneración a la patria, e inculcando el respeto por los símbolos patrios: la bandera, el escudo y el himno nacional. Además de enseñar el amor por lo simple…Amar todo lo que nutre nuestra identidad nacional.

NICARAGUA Y SU BANDERA

La bandera de Nicaragua heredó sus colores del antiguo emblema creado para la Federación de Provincias Unidas de Centroamérica que data del siglo XIX, cuando dichos países se separaron de España, en 1821. Esta bandera consta de tres franjas horizontales que tienen el mismo ancho: arriba y abajo las franjas son azules, y en medio tiene una franja blanca, que destaca por tener el escudo nacional nicaragüense en el centro.

El escudo de Nicaragua es un triángulo equilátero lleno de simbolismos: en primer lugar, está circundado por arriba por la leyenda: "República de Nicaragua" y por debajo por la inscripción: "América Central". Dentro del triángulo, pueden verse cinco volcanes que representan las cinco repúblicas centroamericanas y como Centroamérica está entre dos mares, los cinco volcanes en la bandera también emergen entre dos mares. La libertad y la paz están representadas en forma de rayos de luz sobre un casco frigio y un arcoíris, respectivamente.

Se afirma que en el año de 1908 y durante el quinto día del mes de septiembre se creó la bandera de Nicaragua, aunque el 27 de agosto de 1971 fue la fecha en la que realmente fue oficializada.

María Flor ama los símbolos patrios como principio universal, es maestra de escuela y aprendió a respetarlos desde la infancia. El sentido de la nacionalidad de esta maestra de 63 años es primordial y por eso hace énfasis en que sus alumnos, al igual que ella, respeten los símbolos patrios honrándolos y queriéndolos como se merecen.

Cada vez que María Flor tiene que programar una clase para hablar sobre el tema de la bandera, se esmera en diseñar su clase para proyectarla a sus alumnos. A ella le encanta diseñar bellas pancartas y crea, a su vez, múltiples ejercicios, como asignación de tareas, para que los niños internalicen su bandera y no se les olvide por el resto de sus vidas.

Sin embargo, a María Flor no le gusta cuando hablan mal de los símbolos patrios y los héroes nacionales y piensa que los movimientos sociales, sindicales, estudiantiles, y partidos políticos deben ser voceros para que esto no suceda. Ella piensa que el amor a la patria es fundamental, así como los héroes y mártires deben permanecer vivos en la memoria de quienes se benefician de estas acciones.

"Hay que conocer la historia para amar a la patria, conocer la historia es respetar a los héroes" —dice esta insigne maestra.

Un día la educadora colocó la bandera nicaragüense en el salón de clases. Carlitos, un niño inquieto que tenía en el aula de tercer grado, sujetó la bandera asignada al salón y se colocó la bandera alrededor del cuello, como si fuese una capa e imaginando que era Superman. Luego, salió del salón y corrió por los pasillos con la bandera de capa, llegó al patio del colegio y atravesó una gran cancha de fútbol. Un gran número de muchachos trató de perseguirlo y quitarle la bandera. Al fin, el jardinero que cuidaba la grama y la estaba podando logró atraparlo, y le devolvió la bandera a la maestra.

Tras esta algarabía, Carlitos fue castigado por el día completo de actividades, sentado en una silla viendo a la pared para que aprendiera que la bandera se respeta.

COSTA RICA Y LA TICA

Tico es un gentilicio coloquial sinónimo del costarricense, y las mujeres ticas tienen fama de ser bonitas y trabajadoras. Entre estas mujeres encantadoras se encuentra Jannette, quien tiene un sentimiento profundo de afecto hacia su tierra. Como buena costarricense jamás habla mal de su país o sobre su gente, y se siente muy orgullosa de él. Ella brinda información a los turistas acerca de hoteles y restaurantes y gana un porcentaje por ello.

Esto la condujo a conocer muy bien su patria y su biodiversidad, ya que debe hablar de los grandes atractivos de su país, los mismos que ella, junto con el resto de la población, suelen cuidar. Porque de padres a hijos y de gobernantes a ciudadanos, a los costarricenses se les inculca el amor por la naturaleza, y por eso lo tienen fuertemente arraigado en la sociedad.

Jannette está involucrada con el turismo, porque sabe el peso que este representa en el desarrollo económico de su país. Costa Rica recibe turistas de muchos lugares del mundo y Jannette siempre trata de ser atenta, educada y muy respetuosa con ellos, porque ellos visitan los enclaves turísticos y esto le genera dinero al país.

Por lo regular, cuando trata a sus clientes sus palabras más usadas son: "por favor", "gracias", "usted", "sí, señor", "sí, señora", "don" o "doña", y "con permiso".

Ella ha tenido mucho éxito laboral gracias a los conocimientos que adquirió cuando obtuvo su título de licenciada en Turismo. Además, tiene amplia experiencia, que utiliza para auto-emplearse; ya que por naturaleza tiene intrínseca una cultura emprendedora como todas las ticas, trabajando perennemente un aproximado de 47 horas a la semana y escasamente goza de un solo día de descanso una vez al mes. Su única distracción es estar al pendiente de la selección de fútbol costarricense y le encanta conversar sobre actividades políticas y artísticas para distraerse.

Jannette es ferviente del catolicismo, por lo que acostumbra asistir a las misas dominicales e incluye a Dios en sus actividades diarias, utilizando frases como: "Dios te lleve", "bien, gracias a Dios" o "si Dios me lo permite" y su atención al cliente es excelente cuando interactúa con ellos. Por lo regular, Jannette visita el templo durante el llamado rezo del Niño y allí se reúne con toda su familia y el pueblo para hacer un rosario, y agradecer por todo lo sucedido hasta ese momento.

Ella también fue muy bien educada, debido a que estudió en excelentes colegios y suele mantener el contacto con su familia, a los que visita cotidianamente, sobre todo cuando eligen un día a la semana para reunirse y cocinan arroz con pollo, plato típico y común en ese país.

Jannette tampoco deja de compartir las festividades con sus padres, Micaela y Florencio, entre ellas Navidad, Año Nuevo y Semana Santa cuando van juntos a la iglesia. Cuando tienen tiempo, acuden a un centro nocturno para bailar juntos bachata, merengue y salsa.

En cuestiones del amor, Jannette no ha tenido mucha suerte. Una vez tuvo un novio que incluso cumplió con pedir el permiso ante sus padres para casarse, pero el chico estaba ansioso por casarse y a ella le gustan las cosas paso a paso. Allí se cumple la tradición que dice: *en Costa Rica y en el amor es mejor no dar las cosas por hechas.*

LA CHICA PANAMEÑA

A una panameña llamada Rosilda le preocupa el idioma español en su ciudad. Ella domina muy bien esta hermosa lengua, pero le preocupa cómo otros utilizan groserías y otros modismos para expresarse, que generalmente terminan en barbaridades y palabras poco adecuadas. Ella atribuye esta situación a la publicidad comercial, a la política y otros modos de comunicarse que desconocen las normas de expresión efectiva.

En una entrevista, a Rosilda le preguntaron cómo veía la situación del idioma en este particular y respondió: "Cada vez la situación va decayendo, el hablar bien con un buen lenguaje ¡es elemental! Sin embargo, cada día esto se pierde más".

"La deformación en el lenguaje es terrible, entre ellas la intromisión de groserías —comentaba—. No sé por qué al panameño le ha dado por esto, prácticamente se han quedado sin vocabulario y se carece de conocimiento en el idioma".

"¿Cómo se soluciona esto?" —preguntaba la entrevistadora. "Afortunadamente, la tecnología móvil corrige y esto hace que el usuario se apropie del conocimiento de cómo escribir. Por lo menos allí se aprende la lección y se cuida el lenguaje. Las escuelas, la radio, la televisión y la comunidad deben contribuir a que la gente recapacite, porque tienen una cuota de responsabilidad, con alguna excepción. Creo que en ese aspecto, estamos en la peor época en Panamá" —expresaba con indignación.

"¿Usted cree que la comunidad acepta la propuesta de cambio en el lenguaje?" —preguntaba la entrevistadora. "Yo he hecho pública la situación y he escuchado diversas opiniones, en especial las que afirman que eso no es así, sino que simplemente de esta forma se habla el panameño. Otros son de la tendencia de que el discurso se hace de acuerdo con la ocasión y a las circunstancias, pero considero errado este pensamiento, porque entiendo que no es lo mismo hablar para dar un discurso o para dictar una clase, hablar con un amigo o dirigirse al esposo y los hijos, pero...el lenguaje correcto y fino se debe mantener, ¡siempre!".

"¡Cierto! —respondió la entrevistadora —. Existen dos factores que van de la mano, y uno influye directamente sobre el otro: El castellano oral y la escritura están por el piso, y eso afectará a las generaciones futuras".

"Así es —afirmaba Rosilda —. Es increíble cómo la tecnología divulga y multiplica a cada momento las barbaridades escritas, en los medios televisivos se percibe a cada rato como deforman el idioma ¡Caos total!. Tal parece que es momento de prestarle atención a la ortografía, la escritura y la gramática, como base de la formación de las nuevas generaciones".

"El lenguaje de la gente de este país es el castellano, pero no debemos olvidar que en el español panameño han influido en otras lenguas, dentro de las que se encuentran la inglesa, la africana, la alemana y muchas otras. El inglés es el idioma que más se ha internalizado como producto de la llegada de la gente del Caribe".

"¿Y cómo crees tú que se solucionaría esto?" —dijo la entrevistadora. "En la educación primaria está la clave. Allí es donde se recibe mejor el aprendizaje y se debe enseñar correctamente a leer y escribir" —respondió.

PARAGUAY Y SU FOLKLORE

"El folklore está muy relacionado con el acontecer diario y la tradición en Paraguay" —decía Norberto, conversando con Joaquín.

"De hecho, la gente baila, crea música, existen leyendas y cuentos y también se destacan como artesanos. ¡Eso es folklore, amigo!". "Entonces ya entendí —decía Joaquín —, suceden cosas y actuamos o nos comportamos de cierta forma y esas costumbres se repiten con los años en las siguientes generaciones."

"Sí, en Paraguay tenemos arraigo a la cultura regional y pese a la globalización, estas tradiciones aún forman parte del día a día, con todo y el paso del tiempo. Por decirte algo... más de uno pensaba que la cultura externa podría haber acabado con lo demás. Sin embargo, no fue así y nuestro folklore ¡sigue vivo! Puedes ver cómo el dulce idioma guaraní prevalece, el tereré con *remedios yuyos*, la danza paraguaya, las artesanías y la rica chipa, entre muchas cosas más, siguen vigentes. ¡Mirá Joaquín!, todo esto es dinámico y se mueve...La gente tiene costumbres, tradiciones y leyendas y las mismas pasan de una generación a otra".

"Presta atención a cómo la música paraguaya también ha sobrevivido y cuando los paraguayos la escuchan y ellos habitan en otros países, les surge una emoción genuina. El folklore es lo que nos deja la cultura guaraní y nos define como sociedad. Por eso debemos quererla mucho, conservarla y aprehenderla para que no se olvide, porque representa la sabiduría popular. Esto es historicidad y mantiene vivas nuestras raíces".

"Puedo afirmar que el folklore no tiene un creador específico, se fundamenta principalmente en el estilo del habla que nos identifica como nación, siempre está allí presente, se mueve y perdura en la memoria del pueblo" —aportaba Norberto.

"Por ejemplo —seguía explicando —, todo lo que es nuestro es folklore: nuestra gastronomía, las medicinas naturales, la manera como danzamos, bailamos y tocamos los instrumentos, la forma en que confeccionamos las prendas de vestir y las bordamos, los sombreros elaborados con paja, la artesanía hecha con cuero, oro y plata, el arpa paraguaya. ¡Joaquín! — afirmaba Norberto — Es todo lo que se hace en la artesanía local".

Joaquín miró a su amigo extasiado y le dijo: "¿Y qué me dices de los indígenas?". "Eso también es folklore" —contestó riendo Norberto.

URUGUAY Y PUNTA DEL ESTE

María Elena se preparaba para su viaje a Punta del Este, lugar que cuenta con más de seis mil habitantes y se considera un lugar muy visitado por turistas. Deseaba pasar sus vacaciones conociendo el balneario, además de asegurar su estadía en un hotel con excelente servicio al cliente.

Al llegar al lugar María Elena quedó maravillada con el aeropuerto internacional y en su recorrido hacia el hotel pudo ver lujosos restaurantes de cocina nacional e internacional, los cuales se esmeraban para ser los mejores, superando cada día su originalidad, calidad y buen gusto.

Era increíble la cantidad de centros comerciales que logró visitar, así como el puerto de yates, las calles y avenidas, entre las cuales se incluían opciones para distraerse, tales como el teatro, cine y casinos.

La primera salida fue a Playa Mansa, en donde estrenó un bikini. Al principio sentía vergüenza al usarlo, pero pensó que era el momento y lugar ideal para lucir la nueva prenda de vestir.

Dicen que el nombre "Playa Mansa" se relaciona con la serenidad de sus aguas, las cuales son tranquilas debido a que colindan con el litoral del Río de la Plata. Nada más al ver la playa, María Elena se acostó sobre la arena para relajarse y luego disfrutó un largo baño en las cristalinas aguas del Río de la Plata.

Las personas lucían cuerpos espectaculares y las mujeres usaban trajes de baño de dos piezas. María Elena encontró en la playa a un grupo de chicos y chicas que, al igual que ella, deseaban disfrutar parte de las vacaciones en aquel lugar.

Se presentó al grupo diciendo que era de México. De inmediato, estos amigos la incorporaron al grupo y le contaron que esa playa era visitada por personalidades famosas, bellas modelos y personas de alto poder adquisitivo.

Estos jóvenes la invitaron al día siguiente a salir y durante el recorrido pudo ver la particular integración de la arquitectura reinante, las riquezas naturales de la zona. Esto era opuesto al ruido, las luces provenientes de una localidad con transeúntes nocturnos que buscaban donde bailar y compartir.

Los chicos le explicaron a María Elena que Punta del Este es una península que ofrece playas diversas, unas con fina arena, otras con acantilados, unas llanas y otras hondas, unas frías y otras cálidas y quedaron en visitarlas todas.

Por la tarde, el grupo la invitó a ver el atardecer y la llevaron al hotel para que descansara, porque en la noche irían a conocer la vida nocturna de Punta del Este.

Sus nuevos amigos fueron a buscarla y todos le dijeron que estaba muy bonita. Ella notó en Raúl, uno de los muchachos del grupo, un interés especial en ella. Estuvieron en un centro nocturno que quedaba en la avenida Golero y mientras la recorrían pudo ver de nuevo la variedad de tiendas y de centros comerciales.

Raúl pasó toda la noche bailando con ella y se dio cuenta que le atraía. Desde allí se hicieron novios. Cuando ella tuvo que regresar a México sintió tristeza al dejarlo, pues disfrutaron muchísimo mientras estuvieron juntos. María Elena se despidió de Raúl y tomó el vuelo, al llegar a su departamento en ciudad de México, revisó su teléfono, que aún lo tenía en modo avión, y se encontró un mensaje que decía: ¡*Espérame*

pronto, porque no te voy a soltar!

FILIPINAS Y LA CHEF

Manila es la capital de Filipinas, región insular que ha sido muchas veces víctima de terribles tifones y terremotos. Esta isla se ubica en el océano Pacífico, en la parte del Sudeste Asiático. Es increíble la biodiversidad que posee, junto a sus múltiples recursos naturales. Todo reflejado en el archipiélago, constituido por muchísimas islas, divididas en tres agrupaciones o regiones: las islas de Mindanao, las islas de Luzón y las islas de Bisayas. Contrario a lo que se piensa, Filipinas es un país que recientemente le ha dado paso a la industrialización, lo que promete un futuro exitoso en la economía.

Este país tiene múltiples etnias que habitan en su variedad de islas, tales como los tagalos, los cebuanos, los ilocanos, los bisayanos, los hiligainones, y los bícoles, entre muchos otros, además de encontrarse habitadas por chinos, japoneses y coreanos.

Susy es una mestiza que vive en Manila, tiene raíces indígenas, europeas y orientales. Habla las dos lenguas oficiales: el tagalo y el inglés, además entiende el idioma minoritario español, el cual anteriormente era oficial.

Debido a que es chef, Susy cuenta con la ventaja de dominar diferentes idiomas, lo que le permite interactuar con los comensales, a quienes les cuenta historias sobre la comida que prepara.

Los filipinos suelen hablar el lenguaje criollo, llamado: chabacano, que presenta influencias léxicas del castellano. Esta lengua es popular en ciudades como Davao, Basilán, Zamboanga, Cotabato, Cavite y otras ciudades. Se puede apreciar el idioma español en múltiples palabras dentro de sus lenguas nativas. Susy domina bastante bien esa forma de hablar y le da un toque criollo a su español.

Desde hace 400 años, el español fue una lengua oficial en Filipinas y actualmente se promueve de nuevo por considerarlo un patrimonio. Esta joven está muy contenta, porque considera que este idioma es fundamental en el mundo de hoy.

Esta chef trabaja en un restaurante muy importante de Manila y su alimento básico es el arroz. Ella lo prepara de múltiples maneras y como acompañante de las principales comidas.

Susy utiliza lo que sobra del arroz de las sofisticadas comidas que prepara para hacer un plato llamado sinangag, el cual se estila servir durante el desayuno y se combina con huevos, ajos, salchichas o carne. Se ha hecho famosa como chef por las combinaciones que logra con el arroz para hacer platos salados, entre ellos caldos y salsas.

También sabe elaborar dulces, utilizando para ello; la harina de arroz, el café, el cacao y la leche. También suele combinar frutas de todo tipo, legumbres y hortalizas para darle sabor tropical a su arroz en la comida filipina.

Ha sido tanta la variedad creada por esta chef con el arroz que su fama la llevó a ganarse un premio internacional como *mejor chef femenina de Asia 2016 Veuve Clicquot*, un galardón que reconoce a aquellas mujeres que destacan en distintos ámbitos laborales, en este caso en el mundo de la cocina.

MIAMI Y EL DAME DOS

¡Las vueltas que da el mundo…! María Eugenia era una señora de clase media que, como muchos venezolanos en la "Venezuela Saudita", solía viajar a Miami, porque tenía dólares suficientes y todo le parecía muy económico.

Iba con sus maletas vacías y regresaba con ellas llenas de mercancía, que posteriormente vendía en su tienda en un centro comercial caraqueño, y así poco a poco fue haciendo su capital.

En la época de los setenta, llegó la bonanza para el pueblo debido a que el dólar valía 4,30 bolívares y por supuesto que alcanzaba para ir a Miami, el lugar de mayor predilección para vacacionar del venezolano, debido a que se podía comprar de todo y a muy buen precio. Y no solo eso, sino que muchos viajaban alrededor del mundo tal y como lo hacían los adinerados de otros países.

En ese entonces, se usaba una frase muy común que decían los venezolanos que viajaban a Miami y que encontraban buenas ofertas durante su estadía en aquellas tierras: *"¡Está barato!, ¡dame dos!"*. Ello significaba que lo que compraban parecía a muy bajo precio y que no se llevarían un solo artículo, sino dos.

Era una época de esplendor para el venezolano, ya que compraba su pasaje de avión, se iba a Miami, y no solo compraba de todo para sí mismo y su familia, sino que también le alcanzaba para hacer negocios. Se llevaban sus dólares, hacían muchas compras, visitaban los parques de diversiones, parques acuáticos, iban a ver a los yankees en Tampa y abrían cuentas bancarias, entre otras cosas más.

El boom petrolero seguía en los años 80, lo que trajo como consecuencia un excedente en la disponibilidad de dólares. Esto conllevó a la fuga de divisas al exterior, y luego, debido a la crisis del modelo rentista, llegó la debacle a Venezuela. En cierto momento el petróleo, actividad comercial que manejaba la economía para aquel entonces, bajó de precio y el bolívar se devaluó, pasando el valor de un dólar de 4,30 a 10 bolívares.

Esto ocasionó que la economía se complicara hasta el punto tal que un grupo musical muy famoso de la ciudad de Maracaibo, llamado *Guaco,* compuso una canción llamada *Adiós Miami,* cuyo estribillo decía tal cual:

"Sola te quedaste terruño que adoro, Miami te adoro, solo pienso en ti Dadeland, Hialeah, cubanos y gringos, que triste un domingo sin Miami Beach".

Posteriormente, el precio del petróleo volvió a subir y el venezolano, volvió a salir al exterior a negociar, debido a que el gobierno le otorgaba dólares a muy bajo precio a través de la *Misión Clase Media.*

El control de cambio impuesto a los venezolanos consistía en que cualquiera que contase con una tarjeta de crédito bancaria pudiera tramitar ante su banco el acceso a cinco mil dólares anuales para compras directas en el extranjero, y cinco mil dólares más para compras por internet, a una tasa de cambio regulada favorable, en comparación con la tasa de cambio pública.

Esto resultó para los venezolanos en una regalía, puesto que a cada miembro de la familia le correspondía su adjudicación de dólares, lo que condujo a que viajara la familia completa, debido a que con muy poco dinero pagaban el viaje, y hasta quedaba algo para depositar en una cuenta en el exterior, y poder regresar a Venezuela con dólares para luego cambiarlos en el llamado mercado negro.

Hoy día, todo está al revés ya que la nación norteamericana es un destino de supervivencia para quienes, obligados por la crisis, han tenido que salir de Venezuela. El tiempo de compras y paseos quedó muy atrás. Ahora algunos ciudadanos venezolanos deben vivir de las donaciones que reciban de algunas organizaciones no gubernamentales como Venezuelan Awareness de Miami, que tiene un centro de entrega de productos básicos.

Allí, los venezolanos, entre ellos María Eugenia, piden ropa y comida, los niños lucen desnutridos. Comentan que se vinieron para empezar una nueva vida con 300 dólares y lo que traían puesto, y que no son pobres, sino profesionales dispuestos a trabajar donde sea.

TEXAS Y EL ESPANGLISH

A muchos estadounidenses no les sorprende que el segundo idioma con más hablantes en los Estados Unidos sea el español. Sin embargo, muchos de los hispanos que viven en ese país hablan *spanglish* o *inglañol*, una mezcla de inglés con español, sobre todo en Nueva York, California, Florida, Georgia y especialmente en Texas, producto de la migración.

En los años cuarenta del siglo pasado, se comenzó a utilizar el término *espanglish* que incluso fue incorporado al diccionario de la Real Academia Española.

El origen del *espanglish* se remonta al tiempo de la guerra entre México y los Estados Unidos, en la que los estadounidenses ganaron los territorios de los actuales estados de California, Nevada, Utah, Wyoming, Colorado, Arizona, Nuevo México y por supuesto, Texas.

Maya, nacida en Guadalajara, México, es una hispanohablante residenciada en Corpus Christi, ciudad perteneciente a Texas donde vive con su esposo Maximiliano, el cual nació y creció en la frontera de México y Estados Unidos.

Este señor habla español, al igual que ella, y comprende ambas culturas bastante bien, tanto que estudió medicina en una universidad de dicho estado.

Maya, al igual que su esposo, creció entre dos culturas, con dos idiomas, y se siente afortunada por esta dualidad. A menudo sale de pesca con su esposo, con quien practica deportes acuáticos al aire libre como windsurf y vuelo en cometa. Es evidente que en el lenguaje español cotidiano de ambos existen estructuras gramaticales y léxico del inglés, y esto se debe a que el *espanglish* constituye una de las características culturales más importantes de la idiosincrasia del sur del estado de Texas.

Continuamente, en su lenguaje cotidiano, se nota la españolización del inglés y viceversa y a menudo utilizan palabras como *el toilet, capture o el mobile* apreciándose la fusión morfosintáctica y semántica del inglés con el español en un idioma híbrido coloquial.

Es lógico que Maya y Maximiliano, al igual que la gran mayoría de la población de habla hispana, usen expresiones como: *"Voy a correr con mis runners"*, en las que mezclan el español y el inglés.

En Texas no se suele considerar al español como una lengua extranjera, debido a que se habla con mucha regularidad, tanto en las casas de los hispanos, como en los trabajos y en las reuniones con amigos y vecinos. Lo que lo diferencia del español hablado en otras partes del mundo es que, como hispanohablantes, también hablan inglés.

Esta pareja desarrolló un proyecto llamado: *español en Texas,* cuyo propósito es describir el español tal y como se habla en la región, y ofrecer instrumentos de aprendizaje libres que les permitan a estudiantes, educadores y a la audiencia en general explorar la variación lingüística del español. Los participantes son incentivados a considerar las variedades locales del español y sus hablantes, como recursos importantes para aprender sobre el idioma y la cultura.

El español que se habla en Texas ha llegado a ser tan importante que la National Foreign Language Resource Center en la Universidad de Texas, en Austin, lo incluyó como parte del programa 2010 a 2014, del

Center for Open Educational Resources and Language Learning (COERLL).

Otro avance importante promulgado por el gobierno es el uso del inglés y el español en las páginas webs para facilitar la comprensión de la información al lector.

SCHINKEN VERLAG

Vielen Dank für den Kauf dieses Buches. Sie können uns gerne kontaktieren, wenn Sie unser Hörbuch als kleines Dankeschön erhalten möchten. Das Hörbuch enthält einige Kurzgeschichten in einfachem Spanisch aus verschiedenen Büchern unseres Verlages. Melden Sie sich hierzu unter:

info@schinken-verlag.de

Wir sind ein kleiner Verlag und sind für Kritik, Anmerkungen, Lob oder Sonstiges ebenfalls unter dieser E-Mail-Adresse erreichbar.

Printed in Poland
by Amazon Fulfillment
Poland Sp. z o.o., Wrocław